郑栗儿/著

菊子/绘

大师密码 A-Z系列

大师密码R

傻瓜开窍啦！

人民东方出版传媒
People's Oriental Publishing & Media
東方出版社
The Oriental Press

图书在版编目（CIP）数据

大师密码 . R，傻瓜开窍啦！/ 郑栗儿著；菊子绘 . —北京：东方出版社，2015.11

ISBN 978-7-5060-8742-1

Ⅰ. ①大… Ⅱ. ①郑… ②菊… Ⅲ. ①儿童故事—作品集—中国—当代 Ⅳ. ① I287.5

中国版本图书馆 CIP 数据核字（2015）第 267112 号

本书由台湾东初文化事业股份有限公司独家授权
中文简体字版专有权属东方出版社
著作权合同登记号 图字：01-2014-7444 号

大师密码 R：傻瓜开窍啦！
（DASHI MIMA R: SHAGUA KAIQIAO LA!）

作　　者：郑栗儿
绘　　者：菊　子
产品经理：张媛媛
责任编辑：张媛媛
出　　版：东方出版社
发　　行：人民东方出版传媒有限公司
地　　址：北京市东城区朝阳门内大街 166 号
邮政编码：100706
印　　刷：小森印刷（北京）有限公司
版　　次：2016 年 3 月第 1 版
印　　次：2016 年 3 月第 1 次印刷
印　　数：1—5 000 册
开　　本：720 毫米 ×950 毫米 1/16
印　　张：5
字　　数：48 千字
书　　号：ISBN 978-7-5060-8742-1
定　　价：18.00 元
发行电话：（010）64258117 64258115 64258112

目 录

出版前言

每个父母都希望孩子未来能出类拔萃，并在孩子的教育问题上倾尽心力。

许多孩子长大后成熟乐观，在社会上如鱼得水，但不少人成年后并不快乐。他们即使地位显赫、经济条件优越，依然郁郁寡欢。带来快乐的因素有很多，其中起决定作用的则是人格。面对同样的问题，不同的人格往往造就不同的结果。

怎样才能培养健全的人格？我们不妨到传统文化中去寻找答案。几千年来，儒、道、佛相得益彰，共同塑造着国人的精神世界。儒家关切社会的治理，道家关怀生命自然状态的保持，而佛家则关心人生痛苦的解除。故此，历史上就有“儒家治世、道家治身、佛家治心”的说法。

今天很多人习惯于将佛教简单理解为一种宗教，有的人甚至认为它是封建迷信。如果去掉宗教的外衣，它其实是一座充满智慧，兼具心理、品德教育功能的文化宝库。

为此，我们从台湾引进了这套“大师密码”A–Z系列。这套书以130个佛教大师的成长故事，体现了130个美好的人格特质。沉着、孝顺、无畏、远见……从这些有趣的故事里，孩子们不但可以学会如何获得成功，更能明白如何倾听内心的声音，获得快乐。

这套书结构编排巧妙，集合了台湾优秀的作家及插画师。书中故事生动活泼，插画精美，在台湾广受好评，曾获得台湾“第27次中小学生优良课外读物推介”。相信它同样会得到大陆青少年朋友的喜爱。

推荐序

大师的密码　成功的特质

在我还是青少年时，就很喜欢阅读佛教大师的传记故事。可以说，我的人格就是从阅读大师的史传故事，点点滴滴建立起来的。

不论大人、小孩都喜欢读故事，法鼓文化历时两年的筹备，制作了这套有丰富精美插画的“大师密码”A–Z 系列。这套书中，选出 130 个“大师的美好特质”，一个特质就是一个大师故事，让孩子在趣味的故事中自然吸收大师的养分。

我曾指出佛教的高僧必须具有四大条件：持戒清净、修行精进、慈悲济众与护持佛法；如果转换成现代人的语汇，就是自律、认真、宽大、懂得回馈，而这些正是所有成功人士必备的条件。

很多家长以为孩子学佛会变得消极、不具竞争力；如果从大师的四大条件来看，这样的想法完全错误！孩子接触佛法绝对会更积极、健康，能为他们的一生奠定稳固的基础。

大师们的成就绝非偶然，也没有人一出生就是大师，父母应该提供这样的环境，让人格正在成长形塑中的孩子，吸收历代大师们的生命菁华，转化为他们自己的。我相信这一套“大师密码”A–Z 系列，能够成为孩子们成长的助缘！

聖嚴
台湾法鼓山禅修文教体系创办人

傻瓜开窍啦!

大师密码

Rebirth 焕然一新

一个人如果没记性，走到哪儿就忘到哪儿，不但会被人笑为傻瓜，还会给自己和别人带来许多麻烦。印度的小路就因此被人取了个“愚笨小路”的外号，一句话就算是念了一百遍，他也是随念随忘，完全记不住。偏偏他又有个聪明无比的哥哥大路，兄弟俩的鲜明对比，真是有如麻雀与凤凰。

原本大路、小路都是出生于富贵人家，不幸父母早亡，大路出家后，小路就沦为乞丐。兄弟俩好不容易重逢后，大路每天都认真地指导新出家的小路学佛，但小路总是让大路徒劳无功，连路过的农夫、牧童对小路要背诵的功课，都能朗朗上口了，他却还是一个字都记不住。

幸好小路没有自暴自弃，遇到了救星佛陀后，小路终于从“傻瓜”变成了大智者！

小档案 小路

- 国籍：印度
- 名字：周利盘特尊者
- 别称：愚路
- 专长：禅修
- 影响：为十八罗汉中的第十六尊
- 事迹：从傻瓜脱胎换骨成大智者

印度有一户有钱人家，夫妻俩所生的孩子在出生后不久便都夭折了。后来太太又怀孕了，他们很担心这个孩子出生后也会死去，邻居老太太便向他们建议，等孩子生下后，让婢女抱到大路上去请求出家人的祝福，就能平安地活下来。这样做后，那孩子果然活下来了，而且生来聪明伶俐，他的父母便为他取名叫大路。大路不但很有学问，长大后还成为了一位远近闻名的大修行者。

过了几年，太太再度怀孕了，孩子出生后一样让婢女抱到路上请求出家人的祝福，可是这一次偷懒的婢女并没有把孩子抱到大路上，而是在一旁的小路上坐着，幸好那天上午佛陀经过，对孩子给予了祝福，于是这小孩儿也健康地活下来了，父母很高兴，就为他取名叫小路。可是小路很笨，什么都不会，连谋生的技能也没有，哥哥出家后，父母也相继过世了，没人照顾的小路，只好沦落街头当了乞丐。

有一天，穿着素净僧服、举止高雅的大路在街上托钵化缘时，遇见了正蹲在路边向人乞讨的小路，他整张脸都布满灰尘，看上去既落魄又邋遢。

大路看了非常不舍，赶紧过去抱住他：“弟弟，你怎么在这里当乞丐？”

小路一看到自己的亲哥哥，忍不住放声痛哭：“哥哥，你终于来了！我一直找不到你，爸爸、妈妈都去世了，我没饭吃，只好出来当乞丐。”

兄弟俩久别重逢，各自的遭遇竟然是如此的截然不同，大路心想：“如今我出家了，父母也去世了，只剩下这个弟弟，要是他也能够出家，我就可以好好照顾他了！”

大路看看小路，小路稚气的脸上充满纯真，大路知道弟弟虽然笨，但还是有慧根的，就对他说："小路，那你跟哥哥一起出家好不好？"

小路开心地说："好！只要能跟哥哥在一起，做什么都好。"

于是大路就为小路剃度了，但出家可是要修行的，小路平时连两个字都记不住，现在哥哥教他四句修行的佛偈，他努力背了三个月，还是记不住。大路没办法，只好假装把弟弟赶出去，看小路能不能因此而激发出学习的动力。

可是小路并不理解大路的良苦用心，以为真的是因为自己太笨了才被哥哥遗弃的，他在门外伤心地哭个不停。这时，佛陀正好经过，亲切地问他："你怎么啦？需要我帮助你吗？"

一看到慈悲的佛陀，就像金色的阳光那么明亮而温暖，小路一时忘记了忧伤，他告诉佛陀自己的情况："我太笨了！三个月都背不好一首佛偈，哥哥不要我出家了，把我赶出来，我不知道该去哪里，只好待在这里哭了。"

佛陀笑着安慰他说："没关系，让我来教你好了！"

小路一听赶紧点头答应，欢喜地跟随佛陀离去了。佛陀知道他业障❶太重，一定要先消除业障，才能打开智慧之门，便对他说："从现在起，你要为每一位比丘擦鞋，在擦鞋时，还要念两句话：'我拂尘，我除垢。'这样懂了吗？"

小路点点头，回答说："我知道了。"

❶ **业障**：身体行为、语言、意念所造作的恶业，恶业的力量会带来命运的障碍，也会障碍修行，所以称为业障。

就这样，小路天天蹲在精舍门口，为每一位从外面进来的僧人擦拭鞋子上的尘垢，一开始，僧人还不太愿意让他擦鞋，怕笨手笨脚的小路愈擦愈脏，但经不起小路一再拜托，只好勉强让他擦鞋。

小路一边擦，一边念着“我拂尘，我除垢”，终于有一天，他忽然领悟了，自言自语地说：“原来佛陀教我除去尘垢，不仅仅是大地的灰尘而已，最重要的是心里的灰尘，也就是那些乱七八糟的烦恼。”小路说着说着，就这样开窍了。

得道后的小路也成了佛陀座下的大比丘，而当初把他赶走的哥哥还不知道，原以为小路在门外哭一哭，就会回来好好再学习一番，没想到小路真的不见了，这让大路一直很担心。

这一天是佛陀说法的日子，大路也来了，他一进门就看见小路安坐在佛陀底下，如如不动，心里一边松了一口气，一边又责怪起弟弟：“小路原来在佛陀这里，那我就放心了！但是他怎么可以大大咧咧地坐在佛陀身旁呢？真是不知轻重的小笨瓜，那可是高僧大德的座位哩！”

于是，大路走过去拉小路的手要他起身，这时小路展现出神通❷，手被哥哥拉得愈来愈长，身体却还是坐着不动，大路回头一看，明白弟弟已经证道，他心里高兴极了，向佛陀连连叩谢。

❷ **神通**：修学禅定可得自在无碍、不可思议的力量。神通可分为外道都可修得的神足、天眼、天耳、他心、宿命等五神通，再加上佛教独有的漏尽通，共为六神通。

为了展现佛法的平等，任何人都可以得道，佛陀特别要小路去教化比丘尼[3]，为她们说法。其中有十二个顽皮的比丘尼却很不开心，心中嘀咕着：“干什么要这个笨蛋来教化我们呢？根本就是瞧不起我们女性嘛！”

“既然如此，就想个办法让他出丑吧！”这十二个比丘尼七嘴八舌地想了一招恶整小路的计策，故意把法座摆设得又高又大，还号召全城的老百姓前去听法，想在众目睽睽之下羞辱说话结巴的小路，让他下不了台，被众人嘲笑。

[3] **比丘尼**：出家后受了完整戒律的女性。

小路带着一名随从出现，大家都搞不清楚谁才是真正的小路，在人山人海的群众面前，那座特别高大的法座也显得十分夸张而可笑。小路一踏上法座，众人纷纷低头窃笑不已，小路知道这法座是为了嘲笑他而设的，只见他伸手一按，奇妙的事情发生了，高大的法座竟然像泄了气的皮球一样缩小了，所有人纷纷揉眼睛表示不敢相信。

小路知道如果没有展现神通的话，光是用嘴巴说法，对他们来说是不管用的，因此他除了把法座变小外，并以神通变化，在空中飞来飞去，当小路再度坐回法座上时，已经没有一个人不敬佩他了。

小路充满智慧的声音总算响起了：“像我这个全世界最笨的人都可以改头换面，你们为什么不能呢？”

小路一说完，人群中立刻爆发出雷鸣般的掌声，当然也包括那十二个比丘尼，她们已经把小路视为新的崇敬对象了！

王后不见了！

大师密码 Real 真实

对印度女性来说，没有比当一国之后更光荣的事了。为什么大爱道要舍弃尊贵的后冠出家呢？

大爱道生于天臂城，她家的七姐妹在同一天嫁给四位王子，轰动一时。大爱道与姐妹中的大幻化感情最深厚，同为净饭王的伴侣，不料大幻化在生下佛陀七天后就死了，大爱道便含泪将佛陀抚养成人。

大爱道看到佛陀出家后，她也想追随佛陀寻求生命的真理。虽久居宫中，大爱道看遍了国家兴衰变化、王族权势争夺，随着亲人死亡与青春老去，更让她体会到修行的可贵。因此她如鸟离笼般，展开了人生大冒险，她带着五百位王族女性，剃除长发、换上粗衣，离宫出家，成为佛教中的第一个比丘尼，开启了女性新世界。

小档案 大爱道

- 国籍：印度
- 别称：第一个比丘尼
- 专长：禅修
- 影响：佛教最早的女性出家人
- 事迹：放弃王宫享受，追求人生真理

悉达多王子悄悄离家求道的那一晚，整个迦毗罗卫国的人都不知情，他的姨母大爱道却忽然做了一个梦，梦见四种奇特的景象：先是月蚀，接着东方日出，但随即就不见了，后来出现许多人来顶礼，还看见自己一下哭、一下笑的。

第二天宫中便传来一阵大骚动："王子不见了！"

净饭王一听，叹了一口气："这孩子真的出宫求道去了！我用最美的女人、最华丽的皇宫和最丰盛的佳肴等各种奢侈的享受，还是无法挽留住他的心。"

看着丈夫此刻的愁容，想着亲爱的孩子现在不知身在何方，大爱道的眼泪也掉了下来。眼泪仿佛滴入她的心里，使她想起如幻般的前尘往事。

“妹妹，我们一起嫁给净饭王，你开心吗？”已经美如天仙的大爱道，却还是比不上妹妹大幻化的容貌。

大幻化点点头，但脸上浮出一丝不安：“可是我当第一王妃，你却只能当第二王妃，你会因此难过吗？”

大爱道摇头：“谁叫你长得比我美呢！放心，我一点儿都不难过，我们可以每天在一起，这才是最重要的事。”

没想到大幻化在生下悉达多七天后，竟然不幸过世了。而这位被许多相师称赞连连、具有三十二种殊胜之相的尊贵孩子，便交由大爱道负责照顾。虽然身为姨母身份，大爱道却疼他胜过了疼自己的儿子难陀，多年来付出的感情，已如亲生母亲一般深厚。

如今悉达多决定去走他自己的人生之路，对大爱道来说，这座表面辉煌，却暗藏许多无奈的皇宫，更显得空洞，她失去了真正的依靠。但大爱道只能假装坚强地安慰丈夫：“别担心，不是派人去追了吗？”

她心里知道悉达多暂时不会回来了，昨晚的梦再度浮现于脑海，好像要告诉她什么：“我一定会见到他得道归来的。”她心中暗忖。

没有悉达多的日子，总是过得特别漫长，后来从宫外陆续传回消息：“王子在雪山苦行，瘦得跟枯柴一般。”

大爱道听后心疼不已：“那孩子会不会饿坏了，何必修苦行呢？”

大爱道说着说着又伤心地落下泪来，边哭边跟来人叮嘱说：“不要跟净饭王说起此事，免得他生气。”

但消息还是传入净饭王耳中，不久就听见净饭王传来的愤怒声：“放着好好的王子不做，竟然跑去当乞丐！”

大爱道就这样每天过着忐忑不安的日子，六年后悉达多得道成为佛陀，终于要回来了。大爱道左盼右盼，总算盼到这一天的到来，可是一见到佛陀，她发现自己的爱子完全变了，整个人都脱胎换骨了，变得无比圣洁，仿佛世俗尘埃再也沾染不到他身上。

净饭王开口便责备佛陀：“你是我的孩子，好不容易盼你回来，你却没有回宫先来见我，还带着弟子在街上乞讨，你这不是害我丢脸吗？”

大爱道在一旁劝说：“没关系，见到面就好。”

佛陀温和地回说：“父王，我已不是你的悉达多了，而是众生的佛陀，我将以佛法来报答您，人唯有舍去贪爱的欲望，才能走向自由解脱的境地。”

大爱道在一旁听见佛陀的话语，眼睛一亮：“这孩子已经找到人生真理了！我也可以放下王后的身份，追求属于自己的真实的路了吗？”

又等了许多年，大爱道总算等到了佛陀再度回宫。这几年来，大爱道心中一直隐藏着一个计划：“我一生虽拥有美丽的外表和衣食无忧的富裕生活，但这一切好像随时都会消失一般，也不会带给我真正的快乐，我要追随佛陀，找到真实的自己和解脱之道。”

当她向宫女这么说时，没想到竟然引来五百名宫女也要跟她一起出家：“带我们走吧！我们也想要做真实的自己。”经不起宫女们齐声哀求，大爱道决定做一件以前女人没做过的轰轰烈烈的事情。

她带着五百名宫女离开王宫，求见佛陀：“请问世尊，有没有女人在出家后，也能清净修行，得到证悟呢？”

佛陀一听自然明白了，大爱道想要带着五百名宫女一起出家，但佛陀不肯：“你们穿在家的衣服，一样可以清净修行，不一定非要出家。”

虽然被佛陀拒绝了，大爱道回宫后却并没有打消这个念头，她想："不如自己先剃发、换上袈裟，等佛陀明白我们的决心后，应该会答应的。"

于是她和五百名宫女一起剃去长发，披上袈裟，没想到赶到佛陀住处时，佛陀已经在前一天先走了，所有的女人你看看我、我看看你，不知如何是好，大爱道态度坚定地问大家："有没有决心做真实的自己，走自己的路？"

大家纷纷点头，大爱道高兴地说："好！那我们去追他。"

五百名平时养尊处优的女人，一路风餐露宿地追赶着佛陀，不但衣服都被泥土弄脏了，连脸上也都布满污垢，最终总算在一片林子里赶上了佛陀。每一个人都累得不行，但佛陀还是无法收留她们，疲惫的大爱道终于忍不住哭了。

这时，阿难[1]出现了：“为什么哭呢？”

大爱道回答：“我们虽然是女人，但也希望能做真实的自己！”

阿难非常感动，决定为她们向佛陀求情，佛陀最后终于点头答应让她们出家了。

[1] **阿难**：佛陀的堂弟，佛陀弟子中，听闻佛陀说法最多、记忆力最好的，对于佛陀的说法多能朗朗记诵，被尊为佛陀十大弟子中“多闻第一”。

作为第一个出家的比丘尼，大爱道知道自己的一举一动，一定要成为众比丘尼的榜样。而佛陀也赋予大爱道领导比丘尼僧团的重责，不但要她负责教育其他比丘尼，还要为她们剃度。

当她一百二十岁时，有一天忽然忆起悉达多离家那夜她所做的梦，笑着对自己说："原来如此！我这一生所有该做的事都做了，也做了一个真实的自己，已经可以向佛陀有所交代了！"

大爱道便决定涅槃[2]，在得到佛陀印可后，她和当初同时出家、也都一百二十岁的五百名比丘尼，一起欢喜入涅槃。

❷ **涅槃**：佛教最高的实践目的，达到超越生死轮回、完全觉悟的境界。

最可靠的朋友

大师密码 Reliable 可靠

如果唐朝宗密不是在赴京师应考的路上，听到道圆和尚说法并即刻出家，他后来也许会当上大官。但是他的权位不会让一代才子白居易、刘禹锡等人服气，所写的文章可能只是转眼过时的公文。宗密能够受到唐文宗的敬重，被赐予最尊贵的紫方袍，为王公贵族与朝野大臣说法，是因为他修行风范与菩萨心肠让人钦佩。他不畏强权，义气凛然，因此时人尊称他为“菩萨人”。

博学多闻的宗密，同时承接了华严宗与禅宗荷泽两种不同的修行系统，他不但将两者合而为一，通过著作发扬光大，还融儒家、佛家与道家的思想于一体。宗密是建构出三教会通思想体系的第一人，佛学作品思想严密、脉络清晰，展现出中国佛教最高的思想。

小档案 宗密

- 国籍：中国
- 尊称：圭峰禅师、菩萨人
- 专长：佛学研究
- 影响：融合儒、释、道三家的思想体系
- 事迹：不惧宦官强权恶势，帮助李训避难

安史之乱以后，唐朝宦官的势力就非常庞大，不但掌握军权，连皇帝也拿他们没办法。不甘心当宦官傀儡的唐文宗，虽然内心一直很不满，却也无可奈何，只好借助佛教来抚平自己受创的心灵。

这天，大臣裴休特地来向文宗禀报："皇上，听说有一位兼通禅宗和华严宗❶的大师，名叫宗密，很多人都对他推崇有加。"

❶ **华严宗**：又称贤首宗、法界宗。依《华严经》立宗，所以称为华严宗，以唐代杜顺禅师为初祖。

平日总是蹙着眉头的文宗，立刻面露喜色："是吗！大师的来历是什么呢？"

裴休见文宗如此感兴趣，于是娓娓说起了宗密的过去："这位宗密大师在二十八岁时，原本要参加贡举考试的，在经过大云寺时，巧遇道圆禅师，和他相谈甚欢，便拜道圆为师，还得到《圆觉经》的体悟，道圆对他十分称许，要他四处游学弘法，不要埋没天分。"

文宗赶紧问："后来呢？"

裴休接着说："后来，宗密又去参拜华严宗澄观大师的弟子灵峰上人，当时灵峰已经生重病卧床不起了，两人见面才三天，就成了忘年之交，灵峰将《华严经》[2]和澄观所写的两本《华严经》注解，传给宗密后，不久就过世了。

这三本书对宗密却产生了莫大的影响，使他一脚踏进华严宗的殿堂，更有趣的是——"

文宗又问："怎么样？"

[2] **《华严经》**：为《大方广佛华严经》的略名，是重要的大乘佛教经典，以法界缘起、事事无碍等妙义为宗旨。

“有一次宗密应僧众的邀请，才看完一遍澄观所写的《华严经》注解后，当场就开讲了，而且讲得分毫不差，精彩绝伦，赢得众人的激赏；有位法师听他说法听得太感动了，便当场砍断自己的手臂以表敬重，结果惊动官府追查事情的来龙去脉。宗密不得已只好假称自己是澄观大师的弟子，另外写信给澄观大师请求当他的弟子，并亲自到长安拜见他。澄观大师非常赏识宗密，决定培养他为华严宗的接班人，宗密并不因此而放弃禅宗，反而就此将两者的优点合而为一。”

文宗听后对宗密大师更加好奇了，急切地问：“真是独特的佛教人物啊！快传他到宫中来见我吧！”

得到了皇帝的首肯，裴休便亲自到佛寺迎请宗密入宫，当这位目露慧光，充满慈祥的大师一踏进内殿时，文宗整个人好像沐浴在一种前所未有的安宁气氛中，长期以来受欺压的心酸和痛苦，很自然地在宗密大师面前宣泄了出来：“师父，做人好苦啊！就算我做皇帝，也像在坐监狱一样，一点也不快乐！”

宗密大师微笑地点头说：“我们每一个人都有不快乐的时候，可是我们要利用这个机会，好好去修行，把逆境当成磨炼的机会，不要被一时的不顺遂给击垮了。”

文宗抑郁的心总算得到开解，他不但赐予宗密大师紫方袍，还赠他“大德”的封号，此后三年间，宗密便待在京城里，许多名士高官纷纷向他请益，像裴休、白居易、刘禹锡和李训等人。

文宗对宦官的专权始终难以释怀，他和宰相李训等几个大臣，密谋铲除宦官的计划，一场历史上著名的“甘露之变”由此产生。

这一天，文宗上朝，大臣们就假装说：“金吾厅的石榴树生出了象征吉祥的甘露，请皇上派人前去查看一下。”

文宗故意派宦官们过去一探究竟，这时李训率领士兵埋伏在帘幕后面，准备等宦官们靠近时一举消灭他们，没想到当大宦官仇士良走过去时，突然一阵风把帘幕吹开，露出藏在里面的士兵，仇士良赶紧带着所有宦官逃走了，还挟持了文宗。李训的士兵被仇士良派来的军队击溃了，在慌乱中李训虽然逃出宫外，却被仇士良的军队紧追不放，只能到处躲藏。

眼看骑兵们搜遍了整个长安城，李训迫不得已，突然想到一个最可靠的人，便趁着深夜时分潜入寺院，前去找宗密大师求救。

这一晚，宗密还没有入睡，心中隐约浮出一丝不安。这时，窗外浮现出一个黑影，快速闪进他的房内，仔细一看，原来是李训，宗密问："宰相怎么这么狼狈呢？"

衣衫凌乱的李训，叹了一口气说："唉！铲除奸人不成，连我自己都要遭殃了。"于是他便把事情发生的经过一五一十地告诉了宗密。

宗密担心地问："不知皇上此刻安危如何？"

李训回答："只要皇上说他不知情，仇士良应该不会加害皇上，只是我这条小命将不保了。"

宗密不顾藏匿罪犯的罪名，向李训提议："不如我为宰相剃度，你就留在这里出家，以逃过此劫？"

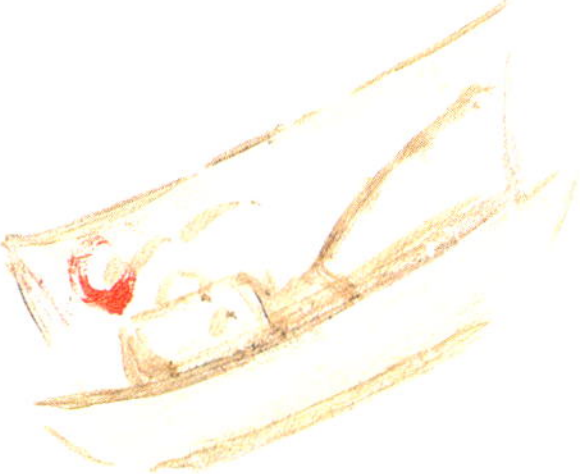

李训反问：“师父，这样好吗？我怕牵累您，本来我已走投无路，想来您这里暂避一下，等追兵过去后再离开，万一师父因我而受害，我怎么承当得起？”

宗密却说：“佛陀教导我们要救度众生，今天你有苦难，我怎么能弃之不顾呢！”

这时，宗密的房门被推开了，两人都吓了一跳，原来是随侍的弟子，当他看到通缉犯李训正在师父房里，也吓了一大跳：“师父，我今早外出买东西，看见城内到处都贴着逮捕宰相李训的告示，您可千万不能留他，这样我们都会没命啊！”

宗密急忙说：“胡说，怎么可以如此呢？”

李训掉下眼泪，向宗密跪拜说：“感谢师父这么看重李训，但我不能连累您。”

李训话一说完，便起身快速离去，宗密要追已经来不及了。

不久，李训果然被追杀，受牵连的大臣们都被抄家灭族，死者数以千计，连宗密大师也因为没有告知官府而被抓去审问，宗密不以为意，对来抓他的人说：“我认识李训已经很久了，佛法以慈悲为怀，遇到苦难就要救助，对任何人都一样，如果因此而死，我也死而无憾。”

这番话让对方深受感动，决定释放宗密，并向仇士良请求免了宗密的罪责，后人更加敬佩宗密大师不畏生死救人的精神，都尊称他为“菩萨人”。

谁是下一个倒霉鬼?

大师密码

Repentance 悔改

传说印度的鸯掘摩罗一出生便有异象，全国武士都不由自主地拔刀，刀锋与刀鞘不但自动裂开一个缺口，还摔落在地。鸯掘摩罗不但生来就是个超级大力士，更是聪明过人，拜婆罗门摩尼跋陀罗为师后不久，就被公认为是五百弟子里最出众的一位。

可惜鸯掘摩罗误信了老师的错误教法，从人生的巅峰跌到谷底，以为杀人可以助人超生到天上，把万恶地狱当成美好的天国，从此踏上了“杀人魔王”的不归路。鸯掘摩罗杀人杀到找不到活人可再杀时，手无寸铁的佛陀竟主动自投罗网，以慈爱感化了铁山般的鸯掘摩罗，让鸯掘摩罗随他出家。

改过后的“杀人魔王”常被仇家毒打砍伤，但却不再想要以眼还眼，再度拔刀，总能以慈悲心转化嗔恨心。

小档案 鸯掘摩罗

- 国籍：印度
- 别称：杀人魔王、指鬘
- 专长：武术
- 影响：为“放下屠刀，立地成佛”的代表人物
- 事迹：放下杀人魔王的魔刀，广做善行忏悔

已快日正当中了，舍卫城的大街小巷却空无一人，人们躲藏在家中，不敢在路上逗留，来不及回家的人只好避到空屋或角落里，无人行走的偌大首都，只剩下风呼呼地吹着，更增添了诡异恐怖的肃杀气氛。

因为天亮时，舍卫城发生了一个可怕的杀人事件，鸯掘摩罗手拿利剑，像发疯的野兽似的见人就杀，他已经连续杀死九百九十八个人了，不知何时才会停止，就连波斯匿王派出的整个军队，也被他全都杀光了，这让国王头痛不已，不知如何是好。

消息传开后，全城的老百姓都纷纷避难去了，连商店也赶紧关了门。这时有一位从邻国来的人，正好到舍卫城办事，一踏入城内，他以为自己走进了无人的国度，揉揉眼睛不敢相信眼前的空寂场景：“舍卫城不是个繁荣的城市吗？怎么是一副阴森可怕的样子？”

他左看右看，把手中的包袱抱得更紧了，再往前走没多久，赫然站立一个巨大的影子，仔细一看是一位英俊而魁梧的武士，但是脸上的杀气却让人不寒而栗，邻国人还没开口，对方已经发出洪亮的声音：“哈哈！你来得正好。”

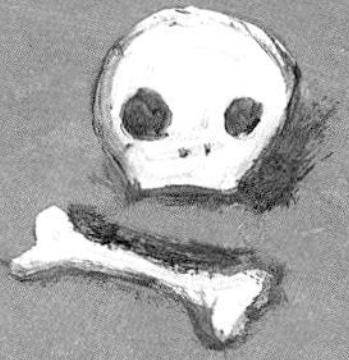

邻国人吓得倒退三步说：“你是谁？要做什么？”

巨大的黑影回答：“我是鸯掘摩罗，我要让你摆脱世间的痛苦，到天上享乐，拿命来吧！”说完，利剑一挥，就把他杀死了。

鸯掘摩罗收回利剑，对着躺在地上的受害者说：“九百九十九，中午前再杀一个人的话，就是一千个人了！师父说：‘杀满一千个人，我就可以得道了，而被杀死的人也可以升天！’”

鲜血直流的邻国人，吐出最后一口气说：“你的师父太残忍了，竟然叫你杀死一千个人。”

鸯掘摩罗听后眉头一皱，便掉头离去。

传说一出生就让全印度武士手上的剑莫名奇妙断掉的鸯掘摩罗，原本是位武功高强的青年才俊，他拜舍卫城一位很有名的修行者为师，想不到师父年轻貌美的太太，竟然爱上了帅气出众的鸯掘摩罗。

有一天，师母趁丈夫不在，故意引诱鸯掘摩罗，没想到被鸯掘摩罗断然拒绝：“师母，师父是我最敬爱的老师，请您不要这样。”

年轻的师母恼羞成怒地骂他：“好！你这不识抬举的东西，竟然敢拒绝我，我会叫你付出惨痛的代价。”

于是师母向丈夫哭诉她被鸯掘摩罗欺负了，并唆使丈夫为她复仇，师父信以为真，便想置鸯掘摩罗于死地，但是他又知道徒弟的武功是无人能敌的，便想了一个计谋，骗鸯掘摩罗说：“如果你想要得道，有一个秘密法门你一定要去做——”

恶毒的师父要鸯掘摩罗一定要在明天中午以前杀死一千个人，师父心里盘算的是，到时候国王派出的侍卫就可以替他解决鸯掘摩罗。

鸯掘摩罗本来不肯答应，但是师父却对他说：“你怀疑我的法门吗？真是大逆不道的孽徒！”就这样，不敢违抗师命的鸯掘摩罗踏上了“杀人魔王”的不归路。

鸯掘摩罗抬起头看看天上的太阳，就快升到正中央了：“时间不多了！”

他感到非常焦虑，可是整座城都是空荡荡的，他该杀谁呢？这时候远远的有一个老妇人慢慢走向他，手中还拎着一个餐盒。

“这身影看起来很熟悉。”鸯掘摩罗的眼底闪着疑问：“是母亲，母亲现在来做什么呢？”

虽然鸯掘摩罗的母亲不敢相信自己的乖儿子变成了杀人魔王，但不管如何，她想：“快中午了，儿子一定肚子饿了，我要给他送午餐。”

鸯掘摩罗心里很矛盾：“怎么办？第一千个被杀的人竟是自己的母亲，我怎么下得了手？可是已经没有人可以杀了，杀了母亲可以让她升天，母亲一定会谅解我的。”

就在这内心矛盾的一刻，佛陀出现了。鸯掘摩罗很欢喜：“我可以不杀母亲，改杀这位替死的出家人了。”

其实，佛陀是因为知道鸯掘摩罗所犯的罪行后，特地赶来感化鸯掘摩罗的，不再让他犯下杀母的大错。

鸯掘摩罗举起利剑往佛陀身上一挥，佛陀竟然不见了，他看着佛陀脚步缓慢地往前移动，便快步追上，可奇怪的是，无论怎么追就是追不上，鸯掘摩罗气呼呼地叫喊：“站住！”

佛陀平静地回答：“年轻人，是因为你没有停止残杀的痴心，所以才追不上我，我从很早以前，就停止不走了。”

刹那间，佛陀的话语仿佛清晰的钟声一般，敲醒了鸯掘摩罗的善念，鸯掘摩罗跪在地上忍不住号啕大哭：“我痛恨杀人，我恨我自己！”

佛陀拍拍他的肩膀，安慰他说：“只要有悔悟的心，你所犯的过错一定可以得到赦免！”

鸯掘摩罗的母亲也过来抱着他：“儿子，你终于醒来了！”鸯掘摩罗点点头，他已经把他杀人的痴心断除了。

佛陀伸出双手，对他说：“随我出家吧！”

鸯掘摩罗露出感激的笑容，紧握住佛陀的双手。

当波斯匿王好不容易又集结了一支强悍的军队要讨伐鸯掘摩罗时，因为没有战胜的把握，所以满面愁容地去请示佛陀说：“怎么对付这个杀人魔王？真是让我头痛！”

佛陀故意问他：“如果他已经改邪归正，跟我出家了，那大王您会怎么做？”

波斯匿王回说：“我也是佛陀的弟子，自然会恭敬地对待他。不过这绝对是不可能的事！杀人魔王怎么会悔悟呢？”

佛陀便请已经成为比丘❶的鸯掘摩罗出来，把波斯匿王吓了一大跳，但他心里却大大松了一口气。因为佛陀的感化，让鸯掘摩罗彻底悔悟了，也结束了这一场震惊全国的恐怖事件。

❶ **比丘**：出家后受了完整戒律的男性。

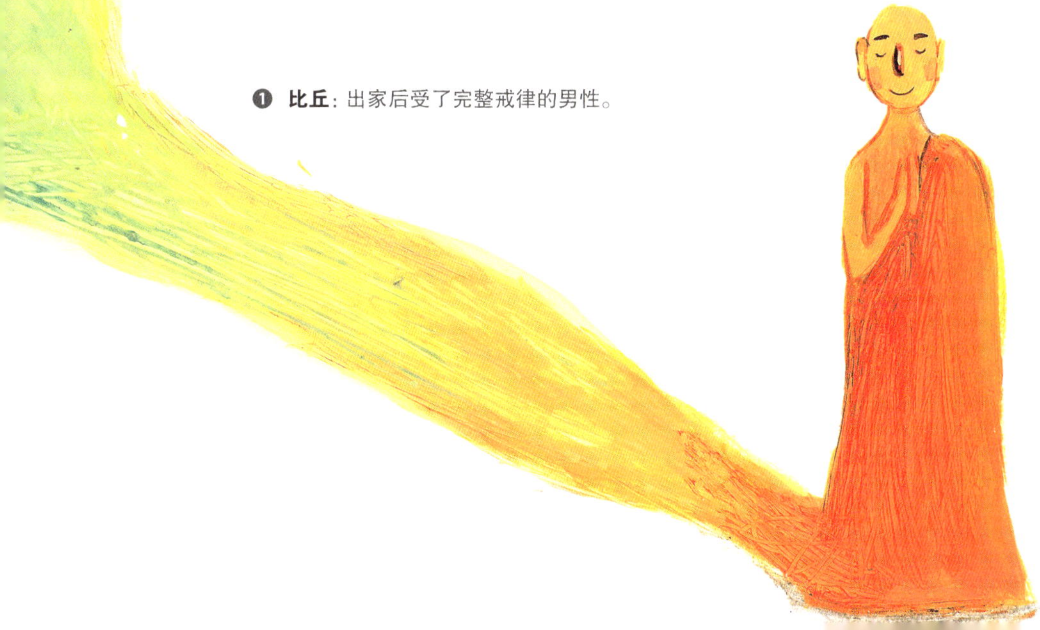

一肩挑起三百人

大师密码 Responsible 负责

形状像牛头的牛头山上并没有牛，倒是有一大群老虎，法融是这群虎大王的老大，每只老虎一看到法融禅坐，就会自动安静下来。山底下的人误以为法融在山上偷懒没事做，便给他取了个外号“懒融”，这真是天大的误会了！

十九岁就出家的法融，才不是个懒惰鬼。他因为勤劳遍访各地名师研究经论，总觉得自己只是知道字面上的道理，无法真正体会佛法的妙理，所以入山一坐就是二十年。但他可没坐成只管自己修行的木头人，当左丞相房玄龄奏请淘汰寺僧时，法融立即写了“陈情表”亲自入京，化解了一场佛教危机。

后来，法融在牛头山上遇到道信禅师，终于彻悟禅理，开创出牛头宗，被称为“牛头法融”，他高深的禅修功力，一点也不“吹牛”噢！

小档案 法融

- 国籍：中国
- 别称：懒融
- 专长：打坐、驯兽
- 影响：中国禅宗牛头宗始祖
- 事迹：冒险入京提“陈情表”，解除朝廷淘汰寺僧的危机

牛头山上有一个奇怪的人，身旁总是跟着许多像是老虎或野狼一类的野兽，全都被驯服得好似他饲养的宠物，当他坐在山顶闭目养神时，野兽们就会安静地围绕其四周，或躺或坐，有的还来回巡视，仿佛为他护卫一般。

有好奇的人问起附近的僧侣后得知："那个懒融啊！成天不做事，就坐在那里，也不知道为什么，那些野兽们就爱跟着他。"

直到有一天，人们才知道"懒融"应该叫"法融"，而且他一点也不懒，他坐在牛头山顶并不是因为贪睡，而是在静坐修行，这该感谢禅宗四祖道信的造访。

这一天，道信禅师看见牛头山山色出奇，顺口说了一句："这座山上应该有得道的人住在这里。"

于是他上山寻找，看看究竟是怎样独特的人隐居在这里，当他遇见了被野兽包围、正在打坐的法融时，知道这就是他要找的人；法融睁开眼，也知道这就是他在等的人了！于是法融向道信禅师请教禅法，而他所领悟的禅理也得到了道信的印证。

道信禅师说："从达摩祖师传下来的衣钵[1]，只能给一个人，我已经将它托付给弘忍了，不过你可以自立一支。"

法融点头表示明白，后来他在牛头山创宗，世称"牛头禅"，吸引了许多僧侣一起跟他修法。

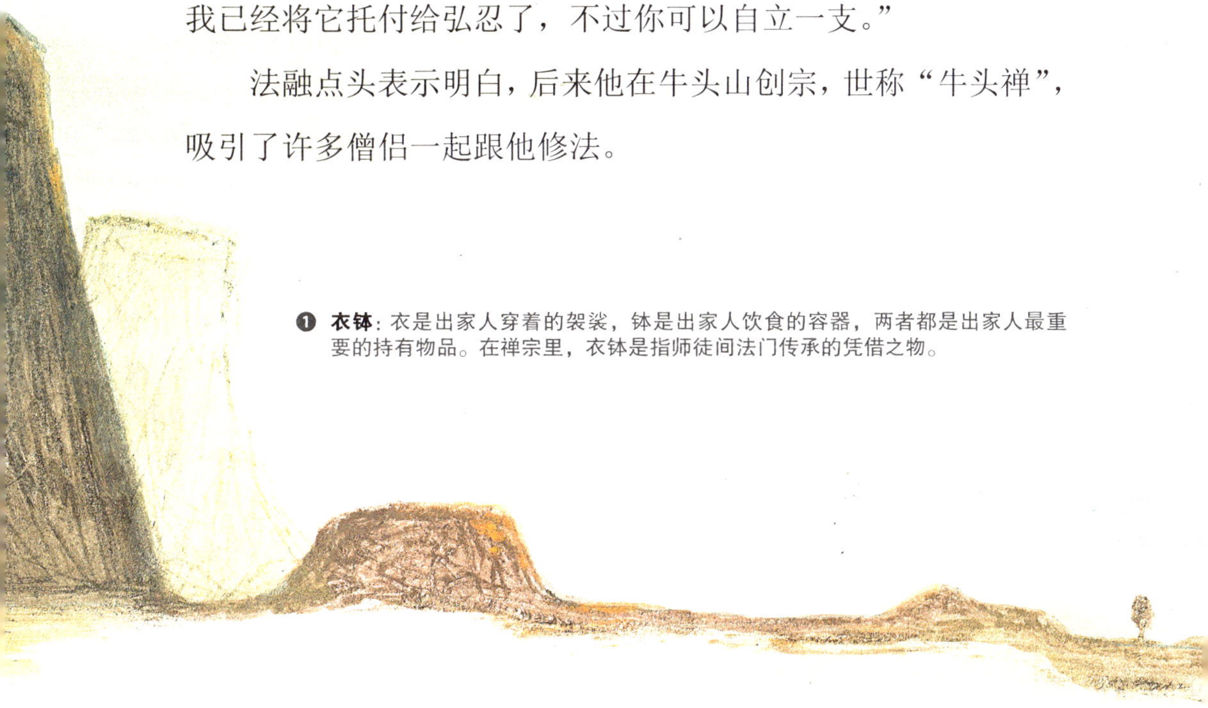

[1] **衣钵**：衣是出家人穿着的袈裟，钵是出家人饮食的容器，两者都是出家人最重要的持有物品。在禅宗里，衣钵是指师徒间法门传承的凭借之物。

唐高宗时，有一位女子名叫陈硕真，她懂得一点邪术，并赢得了地方人民的拥戴，因为不满朝廷政局，就和妹夫策动乡民造反，势力愈来愈大，甚至自称文佳皇帝。更可怕的是，她不容许佛教存在，杀害无数僧人，迫使他们离开原来的寺庙，四处避难，于是牛头山法融的寺院里，就有不少人前来投奔。

“师父！请救救我们，我们实在无处可去了！”

挤在寺门外的一群落难僧人，都快把门给挤破了，管门的小沙弥顶不住了，只好叫师兄们一起来帮忙，众人一边顶着门，一边劝说：“不行啊！我们的寺院太小了，实在容纳不下了，去别的地方吧！”

“别的地方不肯收，才来这里呀！看在菩萨的份儿上收留我们吧！”门外的僧人们又苦苦地哀求着。

“县太爷已经下令不准收留外僧，我们也没办法啊！一下子来了这么多人，大家都负担不起啊！”来投靠的僧人竟然多达三百人，原本寺内僧众早已饥寒交迫，每一个人都叫苦连天。

但无论怎么说，他们还是不愿走，双方吵吵闹闹一片混乱，这时，法融禅师突然出现了：“没关系！让他们进来吧！”

大师兄大叫了一声：“师父！我们自己都快没饭吃了！”

“大家都是佛门中人，我们有责任要照顾他们。”法融禅师很坚持，弟子们没办法，只好开门让外面的僧人们进来，大家高兴极了，纷纷向法融禅师致谢。

不久，法融禅师召集所有的僧人说：“现在，不管你是新来的僧人或原本的旧僧，我们一律祸福与共，有饭大家一起吃，有难大家一起承担，但要切记，绝对不能有私心，要共体时艰，一起渡过难关。”

众僧都点头答应了，但三百多张嘴都要吃饭，很快就入不敷出。隔天，弟子脸色沉重地来向法融禅师报告：“师父，没米了！该怎么办呢？”

法融沉思了一会儿，跟弟子说：“把寺内施主的供养簿拿来。”

弟子赶忙拿来一叠册子，疑惑地问：“师父，您要做什么呢？”

法融回答：“看县城有哪几位经常护持我们的施主，去找他们帮忙筹措粮食。”

法融禅师将供养簿看过一遍，要找什么人帮忙心底大约有数了，于是他便带领几位弟子下山，到城内向信徒们求助。

“师父，您怎么亲自下山了？有什么事叫弟子来跟我们吩咐就好，还让您走这一趟远路。”一名中年员外看见平时不轻易出门的法融禅师登门来访，吓了一跳。

“事出突然，因为贼寇作乱的缘故，僧人们都躲到我那里去，一时间粮食来不及准备，所以来向您求援。”

员外一听，赶忙拿出自己家里的米和面粉，还请左邻右舍也捐出一些：“师父，您真是大菩萨，不是您的责任，还往自己身上扛！”

法融回说：“哪里，你们才是大菩萨，帮忙捐助这么多食物。”

员外又说：“师父，您放心，我会帮忙再筹措粮食，请您明天再来。”

法融高兴地说：“你愿意帮助别人，一定会得到许多福报❷。”

❷ **福报**：因行善所得的福德果报。

就这样，法融禅师不辞辛苦，一天走好几个地方，分别向不同的信徒募集粮食，弟子们怕师父太累，向他提议说：“师父，您先回去好了！不够的，我们再去化缘。”

法融禅师却不愿意：“那些施主肯发心救助我们，已经很不容易了！我不亲自向他们道谢，说得过去吗？”

“可是最近天天下大雨，您每天出来淋雨，要是生病了怎么办？”

可是，法融禅师说什么也要带领弟子们筹集粮食，虽然路途遥远，有时一天扛着一石米来回走两三趟，他也从不喊累，有一两位弟子却忍不住抱怨：“这些逃难的僧人吃我们的、睡我们的，好像理所当然一样，我们却得为他们辛苦地到处奔波，把师父也一起拖累了。”

走在前面的法融，转过头问弟子说："如果今天给你选择，帮助别人或是被别人帮助，你要选哪一种？"

发牢骚的弟子想了想说："帮助别人。"

法融禅师点头："那就对了，被别人帮助的人一定是身处困境，而帮助别人表示自己还行有余力，所以你不要斤斤计较。我们尽一分责任，自然会得到一分回馈，至于是什么样的回馈，要你自己去发掘。"

另一位弟子机灵地回答："师父，我知道！那份回馈就是助人的喜悦！"

法融禅师笑而不答，在法融禅师的感化下，众僧果然渡过难关，一百天后内乱平息，逃难的僧人们平安离去，每一位都很感恩法融禅师的义行。而法融禅师却只当作完成自己应尽的责任，他闭上眼睛，在野兽的围绕下继续打坐。